Liniers
Macanudo 8. - 1a ed. 2a reimp. - Buenos Aires : La Editorial Común, 2013.
90 p. : il. ; 21x23 cm.

ISBN 978-987-24578-8-4

1. Historietas. I. Título.
CDD 741.5

"From there to here,
from here to there,
funny things
are everywhere".
Dr. Seuss

Este libro es para Clementina. Y todos los demás también.

Diseño: Christian Argiz

Talcahuano 768 | piso 10 | C1013AAP | Ciudad Autónoma de Buenos Aires | Argentina

Hecho el depósito que dispone la ley 11.723
Impreso en la Argentina en Galt S.A.
www.galtprinting.com

www.laeditorialcomun.com

LLEGÓ EL OTOÑO
¡¡¡TIREN PAPELITOS!!!

Las verdaderas aventuras de Liniers
ESTE FIN DE SEMANA VAMOS A HACER UNOS RECITALES CON KEVIN JOHANSEN EN EL MAIPO.
A LO MEJOR ME DEJA TOCAR DE NUEVO LA LA ÚNICA CANCIÓN QUE SÉ, ESA DE DYLAN...
KNOCK KNOCK KNOCKIN' ON HEAVENS...
ASÍ QUE HICE LOS DEBERES Y FUI A VER A PETER GABRIEL.
RED RAIN KEEPS FALLING DOWN...
Y A RADIOHEAD
AMBITION MAKES YOU LOOK PRETTY UGLY...
¡ESTOY LISTO!
KCHAIN
MÁS O MENOS.

Conceptual Incomprensible
#89
AHÍ COMO LOS VES, TIENEN LOS PIES AL REVÉS.
SI CAMINAN PARA ADELANTE SE VEN DESOPILANTES.
SI CAMINAN PARA ATRÁS SON GRACIOSOS POR DEMÁS.
AUNQUE ES DIFÍCIL NOTAR LA DIFERENCIA. ES QUE SE VE SIMILAR EN APARIENCIA

APRENDER A VOLAR...

NO ES FÁCIL.

APRENDER A CAER...
TAMPOCO.

PERO, VIVIR EN EL SUELO...
ABURRE.

SI SE TE VUELA EL SOMBRERO EN LA ANTÁRTIDA...
PROBLEMÓN.

LOS ALTOS
HOLA, PAJARITO.
CANTANOS ALGO.
HM...
EJEM
TIRÁ
¡TIRÁ PARA ARRIBA! ¡¡TIRÁ!!

DE REPENTE...
LA INSPIRACIÓN.

NO PUEDO JUGAR AHORA... ENTRE VOS Y YO HAY 20.000 LEGUAS.

¿POR QUÉ LAS MUJERES, HACEN ESTO ?
¿DÓNDE ESTÁS?
ACÁ, CON LOS MUCHACHOS, VIENDO EL PARTIDO.
BUENO, NOS VEMOS DESPUÉS... ¿ME QUERÉS MUCHO?
EH...
SEEE...
¿CUÁNTO ME QUERÉS?
CLARO, CLARO...
¡VAMO, MESSI!
DECIME ..."¿TE QUIERO MUCHO CUCHI CUCHI." ASÍ DECÍMELO.
EH...
AFIRMATIVO...
cuchi...

Conceptual Incomprensible
#91
LA VEZ QUE UNAS
PERLAS GIGANTES
CAYERON SOBRE LA GENTE.
O A LO MEJOR ERAN BOLITAS DE NAFTALINA.

NO SÉ POR QUÉ SOLO MIRÁS PARA UN LADO.
HAY DE TODO.

BOCETOLANDIA
MIRÁ TERESITA LLUEVE CON SOL...

BOCETOLANDIA
PASÓ UNA MAÑANA
CUAC

HOY: STEBAN STENCIL
LAS AGENCIAS DE PUBLICIDAD LLENARON LA CIUDAD DE LOGOS... ASÍ QUE NO CREO QUE POR UNOS DIBUJITOS MÍOS...

VIDA Y OBRA DE Esteban Colberto
SUS IDEAS POLÍTICAS.
LA CREACIÓN...
DE SU PROPIA RELIGIÓN.
SU INFANCIA ARISTOCRÁTICA.
EL IMPACTO CULTURAL DE SUS EXPERIMENTOS TEATRALES.
TODO ESTO EN EL PRIMER CAPÍTULO DEL BESTSELLER INTERNACIONAL:
VIDA Y OBRA DE ESTEBAN COLBERTO

VINO Y LE AGARRÓ LA MANO.
¿QUIÉN SOS?
LE PREGUNTÓ.
NO RESPONDIÓ.
SE QUEDÓ AHÍ...
MIRANDO.
INDIFERENTE.
SIN SOLTARLO.

CRECIÓ.
CRECIÓ. SIGUIÓ CRECIENDO.
CADA VEZ MÁS GRANDE.
EL SOL QUEDÓ DEL OTRO LADO.

LE APRETÓ LA MANO
CADA VEZ MÁS FUERTE.
LO IBA A APLASTAR.
HASTA QUE ALGUIEN LE AGARRÓ LA OTRA MANO.
Y DESAPARECIÓ.
ASÍ COMO ASÍ.

ESTOY INTERMITENTE
AH

LA NADA...
LA NADA.
LA NADA...
ES COMÚN PONERSE EXISTENCIALISTA EN LA ANTÁRTIDA

PING
SE AGRADECE.
FALTABA MÁS.

NO TE TENGO MIEDO.
VOY A HACER LO QUE SE ME DÉ LA GANA.
MIRÁ... VUELO.
ESTOY DESAFIANDO LA LEY DE GRAVEDAD.
Y A LOS RESORTES.

ALGUNOS CREEMOS EN
PAN CHUECO
OTROS NO.
¿EXISTÍS O NO,
PAN CHUECO?
HM...
SOY UNA PARADOJA CUYA LÓGICA ES IRREFUTABLE.
AH...

PASO
PASO
PASO
PASO
HOLA.
PENSÉ QUE LLEGABA TARDE.
NO... LLEGASTE BIEN
ES QUE VINE A LOS PIQUES
TE VI
UF
¿ESTÁS BIEN?
LA VELOCIDAD ME DA VÉRTIGO
BUEH... TAMPOCO.

UNA NIEBLA MISTERIOSA.

UH
NO HICE LOS DEBERES.
¿QUERÉS VOLVER?
ES QUE...
TAMBIÉN CONSIDERO MI DEBER UNA VIDA LLENA DE AVENTURAS.
QUÉ DILEMA.

DIJO UN DUENDE CHANFLEADO:

UY... QUÉ ÁRBOL CHANFLEADO.

LA SUERTE DE EMPEZAR A SER LECTOR
CON ALGUNOS LIBROS...
mafalda
A QUINO
GRACIAS

¿DE DÓNDE VIENE
ESA LUZ?
¿SERÉ
EL ÚNICO
QUE LA
PUEDE
VER?
¿QUÉ SIGNIFICA?
PANCHUECO
Y SU LINTERNA
NUEVA.

EL OTRO DÍA ME ENCONTRÉ UNA CANA.
NOOOOOOOO.

DE VEZ EN CUANDO HAY QUE HACER ALGO QUE TE ASUSTE.
¿TE PARECE?

HMM...
YO NO LO RECOMENDARÍA.

Conceptual Incomprensible
#97
PRIMERO FUE EL DENGUE
DESPUÉS... EL SEÑOR ALBARENGUE.

EN UN RECITAL.
EN LA FERIA DEL LIBRO.
PUDE DEMOSTRAR MIS APTITUDES MUSICALES CON UN TRIÁNGULO.
PLIN.
YEAH!!

LA PANCETA, EL JAMÓN, LOS SALAMES...
FINALMENTE TENEMOS UN ARMA PARA DEFENDERNOS.

ACHÍS.

OOOO
OOOOL
LLLLLG
GGGGG
GGGGAA
AAAAA
ACÁ ESTOY, ACÁ ESTOY... PARA SER IMAGINARIO SOS BASTANTE DENSO.

RING
¿HOLA?
HOLA, SOY YO
¿CÓMO ANDA?
BIEN, BIEN ¿Y VOS?
ACÁ... DIBUJANDO.
¿HABLÁS POR TELÉFONO Y DIBUJÁS AL MISMO TIEMPO?
SÍ...
UNOS DIBUJOS BASTANTE EXTRAÑOS.

EL SEÑOR SUBELDÍA ENVÍA PENSAMIENTOS ROMÁNTICOS A SU AMOR IMPOSIBLE.
QUE LOS RECIBE ALGO TERGIVERSADOS.
¿¿MIS OJOS SON DOS PUCHEROS QUE ILUMINAN SU CAMISA??

PENSAR EN COSAS
HACE QUE LAS COSAS VENGAN.

CUANDO DUERME ESTÁ INDEFENSO
TE PERSIGUE JOAN MIRÓ. TE QUIERE MATAR.
UN TSUNAMI COLOR VERDE.
Y ROJO.
TE SACAN FOTOS PERO NO VES QUIÉN ES EL FOTÓGRAFO.
NO ES JOAN MIRÓ, ES TU TÍO ABUELO.
AHORA SOS UN NIÑO.
FLOTÁS... AHORA CAÉS.
Y LOS SUEÑOS SE COMPLOTAN PARA CONFUNDIRLO.

CAE SOBRE LA CIUDAD...
UNA MOLESTA...
LLUVIA DE PESADOS.

PEEEIIIIIIIINA
QUIERO MAS VÉRTIGO EN MI VIDA, ASÍ QUE ME HICE UN PEINADO AERODINA-MICO.

¿POR QUÉ USA ESA SÁBANA?
BSS BSS

BOCETOLANDIA

LOS ALTOS
PARATE UN POCO MÁS A LA IZQUIERDA.
UN POCO MÁS.
AHORA MÁS A LA DERECHA
PERFECTO
AHORA LA LUNA ES TU CORONA

ALEJANDRO ESCAFANDRO
ESCARBADIENTES DE TU TALLE NO CONSEGUÍ...
A LO MEJOR TE SIRVE ESTO.

COMIENDO MANÍ.
CANCHEREANDO.
HASTA QUE...
PIC

CUIDADO FELLI...
?

...NI

CÓMO NO LASTIMARSE AL FINAL DE UN CHISTE CON REMATE DEL TIPO ¡PLOP!

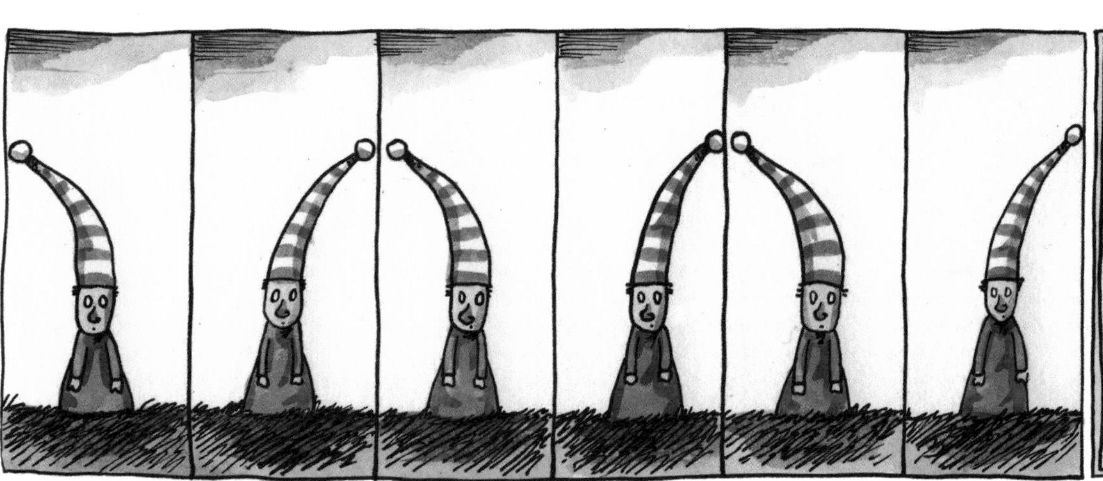

¿QUÉ LE PASA A TU SOMBRERO?
LO HIPNOTIZÓ UN LIMPIAPARA-BRISAS.

HOLA... SOMOS TUS PAPÁS.
GA
CREO QUE ESTÁ TAN CONFUNDIDA COMO NOSOTROS.
¡EY!... ¡ES HORA DE LAVARSE LOS DIENTES Y A DORMIR!
TRATÉ DE PONER TONO PATERNAL. ¿SONÓ PATERNAL?
SÍ... UN POCO.
ES TAN PERFECTA AHORA... SIENTO QUE VOY ARRUINARLA.
NO SÉ CÓMO SER PAPÁ. ES DEMASIADA RESPONSABILIDAD.
GA
¿Y SI LLAMO A MI PAPÁ?

A MATILDA Y CLEMENTINA - L -

HOY: EL SEÑOR QUE PINTA LAS AMBULANCIAS
VA AL SUPERMERCADO

12 HUEVOS
1 MANTECA
1 KG. DE PAPAS
1 KETCHUP
3 TOMATES

¡EH! ¡VOS!

SÍ... VOS. TE ESTOY HABLANDO.

¡¡NO TE HAGAS EL DISTRAÍDO!!

ESCUCHAME PERO ESCUCHÁ-ME BIEN

EJEM.

¿CÓMO ESTÁS?

94, 95, 96, 97, 98...
LA CUENTA REGRESIVA ME ESTÁ MATANDO.
ESTE JUEGO ME ANGUSTIA DEMASIADO
¿A VOS NO?

OLGA
BUEN DÍA

SERÍA LINDO QUE ALGÚN DÍA CAYERAN POCHOCLOS.

AHÍ ESTÁ.
PASAN LAS ESTACIONES. PASAN LOS AÑOS.
Y EL ERMITAÑO SIGUE EN SU FARO.
SIGUE EN SU MONTAÑA.
PARA SER ERMITAÑO TAMBIÉN HAY QUE SER CABEZA DURA

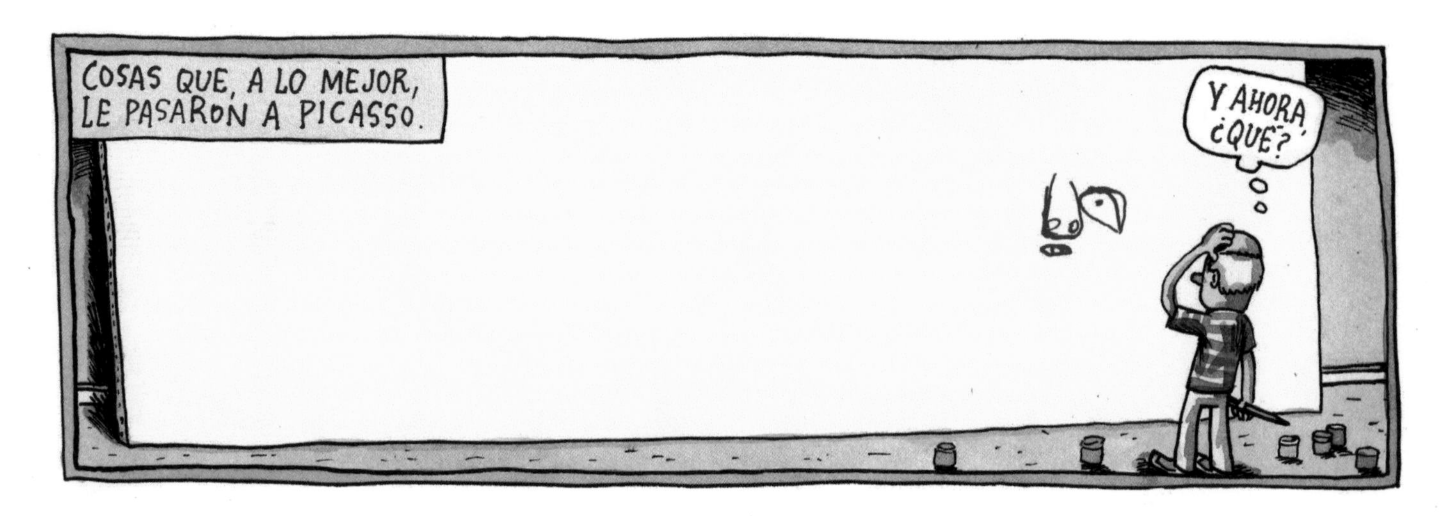
COSAS QUE, A LO MEJOR, LE PASARON A PICASSO.
Y AHORA ¿QUÉ?

¿ADÓNDE VAMOS PANCHUFO?

¡QUÉ PREGUNTA!
¿NO ES OBVIO?

ESTAMOS YENDO...

AL FIN DE LA HISTORIA.

CUANDO DOS PERSONAS QUE USAN ANTEOJOS...
TAC

SE SALUDAN CON UN BESO...
TAC

LAS PATILLAS DE LOS ANTEOJOS HACEN UN RUIDITO AL CHOCAR.

TAC

UN RUIDITO QUE SIGNIFICA:
"SOS UNO DE LOS NUESTROS... LA REVOLUCIÓN SE APROXIMA."
TAC

"La esperanza es esa cosa con plumas"
ESCRIBIÓ EMILY DICKINSON.

MIENTRAS TANTO, LA ESPERANZA EMITÍA SONIDOS EXTRAÑOS.
CHUSSSS CHISSSSS

POR CADA GASPARÍN...
HAY DIEZ DE ESTOS.
SEAMOS AMIGOS
TONTOOO.
UUUH
ANDATE DE ACÁ.
TE VOY A ROMPER LOS DIENTES.
¡GIL!
@#
¡ASTAROTH!
TE VOY A MATAR.
¿QUÉ MIRÁS?

PARECE...
QUE TE VAS...
A CAER.
NO TE CAÉS.

A VECES ESTÁS ARRIBA.
A VECES ESTÁS ABAJO.
Y OTRAS VECES...
OTRAS VECES SE PONE INTERESANTE.

GENERALMENTE USABAN ESPADAS, PERO NO ERA INUSUAL QUE, DURANTE EL SIGLO DE ORO ESPAÑOL, LOS DUELOS SE BATIERAN A PUNTA DE BARBA
¡DIANTRES!
¡CHAS!

MIRÁ, FELLINI.
¡SÚPER-CHICA!
OPS.

SÚPER-CHICA, ¿TU KRYPTONITA ES LA LEY DE GRAVEDAD?
JA JA... SOS UN PLATO...

CUANDO SEA GRANDE NO VOY A TENER AMIGOS IMAGINARIOS, ¿NO?
OLGA

LISTO...
YA DI LA VUELTA AL MUNDO.

¿DÓNDE ESTÁ? ¿DÓNDE ESTÁ? ¿DÓNDE ESTÁ?

¿DÓNDE ESTÁ? ¿DÓNDE ESTÁ? ¿DÓNDE ESTÁ?

¡ENRIQUETA!
NO.

¿DÓNDE ESTÁ? ¿DÓNDE ESTÁ? ¿DÓNDE ESTÁ?

¿TE CANTO UNA DE LOS RAMONES?

LAIKA, LA PRIMERA PERRA ASTRONAUTA, Y EL PERRO DE PAVLOV SE ENCUENTRAN EN EL MÁS ALLÁ.
YO SOY FAMOSA POR SER EL PRIMER ANIMAL EN ORBITAR LA TIERRA
YO POR BABEAR...
LO MALO FUE QUE NO SOBREVIVÍ AL EXPERIMENTO.
YO SÍ, PERO ME BABEABA CADA VEZ QUE SONABA EL TELÉFONO.
TE ESTÁS BABEANDO AHORA.
¡ES TAN HUMILLANTE!
BUEH...

LOS ÁRBOLES MUEREN DE PIE Y DESCALZOS.
LA GAVIOTA NO LEVANTA VUELO EN OCTUBRE.
¿TIENE EL MICROFILM CON LOS PLANES SECRETOS?
...
UH, NO.
ME LO OLVIDÉ.
Y... ¿A VOS TE GUSTA SER ESPÍA SECRETO?

Conceptual Incomprensible #105
¡LLUVIA TRANSVERSAL!
SOLO UNA COSA PUEDE SIGNIFICAR.
¡LA CABEZA GIGANTE DEL DESTINO!

EN LA NASA LO SABEN.
¡TROPIEZ!
PERO NO LO DICEN.
EN EL LADO OSCURO DE LA LUNA, ADENTRO DE UN CRÁTER ENORME, ESTÁN TODOS LOS GLOBOS QUE SE NOS VOLARON.

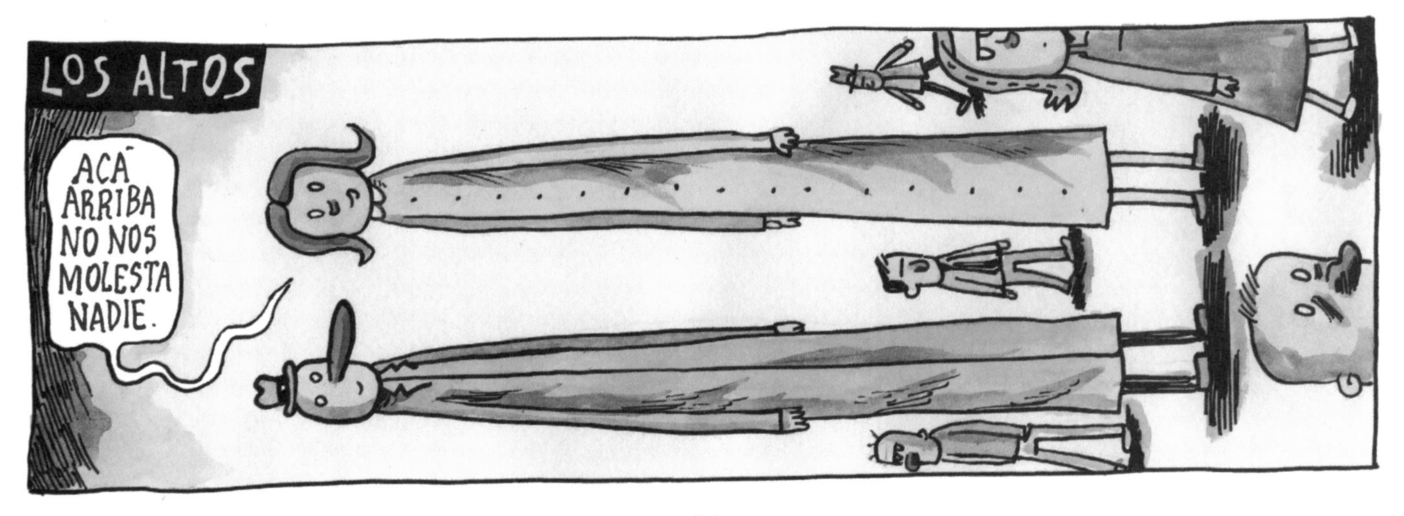
LOS ALTOS
ACÁ ARRIBA NO NOS MOLESTA NADIE.

SU NOMBRE ES ALFIO, ALFIO LA BOLA TROGLODITA
COMO BOWIE FLOTA EN EL ESPACIO, 'PACIO
INTENTA COMUNICARSE POR RADIO, RADIO
LA BOLA TROGLODITA
QUERÍA HABLAR CON GAUDIO, GAUDIO...
LA BOLA TROGLODI-TAAAAAAA...
YEAH

TODAS LAS DECISIONES QUE PODEMOS TOMAR Y SIN EMBARGO HAY UN SOLO FUTURO...
¡QUÉ MISTERIO!

COSAS QUE, A LO MEJOR, LE PASARON A PICASSO.
HOLA MATISSE.
HOLA PICASSO.

¿SERÁ MEJOR QUE YO?

¿SABÉS ALGÚN CHISTE, MADARIAGA?

CUANDO SEA GRANDE QUIERO QUE TODOS ME CONOZCAN, QUIERO APARECER EN TELEVISIÓN, EN LAS REVISTAS... QUIERO APARECER EN CARTELES GIGANTES EN LA CIUDAD Y LAS AUTOPISTAS. QUIERO QUE ME MAQUILLEN Y ME SAQUEN FOTOS... QUIERO EL PÚBLICO A MIS PIES.
¿VAS A SER ARTISTA?
NO, POLÍTICO
PAF

ALEJANDRO ESCAFANDRO
SE VOLVIERON A CONFUNDIR EL TANQUE DE OXÍGENO CON EL DE HELIO...

MIRÁ QUE ES GRANDE LA ANTÁRTIDA...

HABLARON UN RATITO EN UNA FIESTA.

ESO FUE TODO.

NADA MÁS.

CAMINANDO POR AHÍ, UN DÍA CASI SE CRUZAN.
PERO, NO.

TODO ES MUY POCO A VECES.

EN INVIERNO, LOS DÍAS
MISTERIOSOS...

SE SIENTEN.

¿OLGA OLGA?
OLGA
OLGA OLGA OLGA
¡OLGA!
SOS MALÍSIMO CONTANDO CHISTES

Conceptual Incomprensible
#112
EL SABOR ALMIBARADO DE SU PLANETA
LE GUSTA MUCHO AL SEÑOR TROMBETA.

¡QUEDA UNA SOLA!

RÁPIDO... ¡CINTA ADHESIVA!
¡UNA ESCALERA!

ESE VERANO...

Las verdaderas aventuras de Liniers
EN UNA LIBRERÍA DE SANTIAGO DE CHILE, FIRMANDO MACANUDOS.
DESDE LAS 16:30 HASTA LAS 24:00
UNA MARATÓN.
CON SUS RECOMPENSAS.
TE HICE ESTO.
OLGA
¡GRACIAS CHILE!

CREAN EN TOKIO A 'KOBIAN'

EL PRIMER ROBOT CAPAZ DE EXPRESAR EMOCIONES.

¡

ES QUE SOY DISXÉLICO...
DISLÉCOXI.
DIXLÉSICO.
DICSÓL...
¿QUIÉN FUE EL GRACIOSO QUE LE PUSO EL NOMBRE A ESTE TRASTORNO?

HOY:
EL LICENCIADO
Barbosa
HOLA.
LICENCIADO BARBOSA... LE TRAJE LA AFEITADORA QUE ME PIDIÓ.
¡AL FIN!
Y ERA HORA DE AFEITARME LA CABEZA.
¡PLOP!

HOY:
EL LICENCIADO
Barbosa
¿TRAJE MI PARAGUAS?
¡ESA!
¡MI PARAGUAS PELUDO!

HOY:
EL LICENCIADO
Barbosa
AHORA SÍ.
EMPECÉ EL DÍA MEDIO PLANCHADO, PERO YA ESTOY BIEN.

PARECE QUE NO ANDA EL BURRO DE ARRANQUE, ¿NO?
JA JA...
JA

VIDA Y OBRA DE Esteban Colberto
HORAS FRENTE A LA TELEVISIÓN
VIENDO UN PROGRAMA AMERICANO
CON UN MISTERIOSO HOMÓNIMO.
I'M... STEPHEN COLBERT!
EN OTRO FASCINANTE CAPÍTULO DE SU BIOGRAFÍA.
VIDA Y OBRA DE ESTEBAN COLBERTO

HOY: RISTRETO, EL SEÑOR MÁS DESINFORMADO DEL MUNDO.
VISTE... SE MURIÓ MICHAEL JACKSON.
¡NOOOOO!... NO SABÍA NADA...
¿QUIÉN ES MICHAEL JACKSON?

ALEJANDRO ESCAFANDRO
¡EY! ¡BALLENA! ¡PARÁ QUE SE TE ENGANCHÓ ALGO!

LORENZO Y teresita

TE JUEGO UNA PULSEADA.

OLGA
NO SE PUEDE HABLAR DE POLÍTICA CON VOS.

¿POR QUÉ PASA EL TIEMPO, PANCHUECO? ¿POR QUÉ HAY QUE ENVEJECER Y MORIR? ¿POR QUÉ NO PARÁS EL TIEM...

300 MOSCAS...
¡SIN PIEDAD!
DEFIENDEN...
¡BZZZZPARTA!

OLIVERIO
La Aceituna

COSAS QUE, A LO MEJOR, LE PASARON A PICASSO.
1917
R. MUTT 1917

¿QUÉ VOY A HACER?

ACABA DE CAMBIAR TODO.

PORQUE SÍ...
AGARRAR UN TELÉFONO.
MARCAR UN NÚMERO AL AZAR.
TI TU TI TI TU
Y DECIR...
ES UN BUEN DÍA, HOY... SI QUERÉS.

PORQUE SÍ...
RING
RING
RING
RING
RING

DECÍDASE.

A VER...
TE QUEDA BIEN
NO SÉ SI VOS SOS YO O YO SOY VOS.

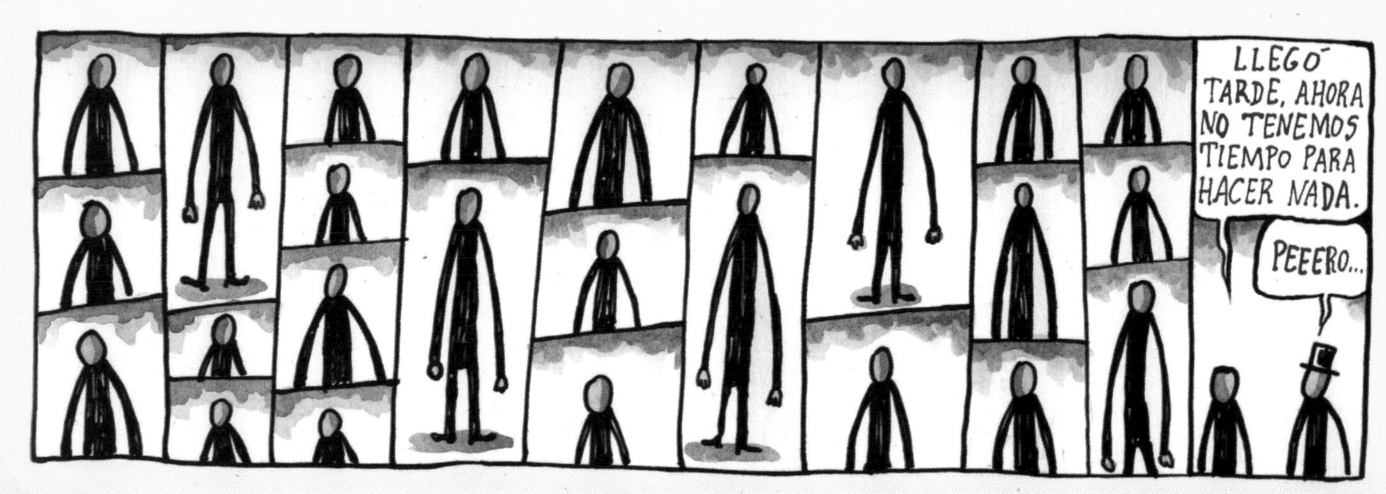
LLEGÓ TARDE, AHORA NO TENEMOS TIEMPO PARA HACER NADA.
PEEERO...

EL NEGRO YA NO ESTÁ DE MODA.
AH.
¿NO VA A HACER NADA?
VOY A ESPERAR UN RATITO
¡EL NEGRO ESTÁ DE MODA DE NUEVO!
VOILÁ!

¿QUE PASÓ?
COMÍ UN MONTÓN DE COMIDA RÁPIDA...
QUE ME HIZO MÁS LENTO.
AH.

SIEMPRE LLAMANDO LA ATENCIÓN, USTED... EH.

¿TE GUSTA MI VESTIDO, MADARIAGA?

ESTA ES MI ROPA FAVORITA.

¿CUÁL ES TU ROPA FAV...

¡MADARIAGA! ¡ESTÁS DESNUDO!

FELLINI

¿TE HABÍAS DADO CUENTA DE QUE MADARIAGA ESTÁ DESNUDO? ¡NO USA ROP...

¡¡VOS TAMBIÉN!!

¿Y TAPAR ESTA OBRA DE ARTE?

NO VEO EL PROBLEMA DE VIVIR DESNUDO.

ES LO MÁS NATURAL DEL MUNDO... ADEMÁS, BAILAR ES MUCHO MÁS DIVERTIDO.

¡¡ENRIQUETA!! ¡¡LOS VECINOS!!

DEMASIADOS CUERVOS

MISTERIOSOS.

COSAS QUE, A LO MEJOR, LE PASARON A PICASSO.

¿ADÓNDE IBA YO CON ESTO?

ASÍ QUE LA POLÍTICA ERA ESTO.

OPS...
UN DÍA EMPEZÁS A DESIMAGINAR.

¿CÓMO ES LA VIDA DESIMAGINADA?
MENOS AZUL.

TODAVÍA NO.
TODAVÍA NO.
TODAVÍA NO. TODVIÁ NO.
TODAVÍA NO. TODAVÍA NO. TODAVÍA NO. TODAVÍA NO.
OLGA

Conceptual Incomprensible
#115
LA SOMBRA DE SU SOMBRA DE SU SOMBRA DE SU SOMBRA.
NO SOSPECHA NADA.

¿QUÉ HICISTE?

¿DÓNDE VIVÍS, PAN CHUECO?

ACÁ ADENTRO.

LOS ALTOS
LUNES
HOLA
HOLA
MARTES
HOLA
HOLA
MIÉRCOLES
HOLA
HOLA
JUEVES
HOLA
HOLA
VIERNES
HO...
AL FIN SE ANIMÓ
AL FIN ME ANIMÉ

AAH... EL HOMBRE PAPEL HIGIÉNICO.

¡¿CÓMO, EL HOMBRE PAPEL HIGI...?! ¡LA MOMIA, SOY! ¡¡LA MOMIA!! ¿DÓNDE VISTE UN HOMBRE PAPEL HIGIÉNICO?
¡CORTE! ¡CORTE!

HOY: EL LICENCIADO Barbosa
JA, JA ... SOS UN PLATO, LINIERS.

TODOS QUIEREN SER MISTERIOSOS...
PERO EL MISTERIOSO HOMBRE DE NEGRO ES ÚNICO.

HASTA MAÑANA, OLGA...
OLGA

SI TENÉS UN MONSTRUO ARRIBA DE TU CAMA...
NO HAY PROBLEMA CON LOS QUE VIVEN ABAJO.

?
POP
POP
POP
¿QUÉ TE PASÓ?
FUI A BUSCAR TRABAJO A LA TIRA DE TUTE Y ME DIJERON QUE NO HABÍA, PERO QUE A LO MEJOR EN "MACANUDO", SÍ.

MI NOMBRE ES ALFIO, ALFIO
LA BOLA TROGLODITA
ME GUSTARÍA VIVIR EN FRANCIO, FRANCIO
LA BOLA TROGLODITA
MI PELÍCULA FAVORITA ES RAMBIO, RAMBIO
LA BOLA TROGLODITA.
ES QUE TODO RIMA CON ALFIO, ALFIOOO LA BOLA TROGLODIAMBIIIIOOO.

CHAU, CARLITOS.
'TA LUEGO, CARLITOS.
NOS VEMOS.
¡SUERTE!
BON VOYAGE, CARLITOS.
ADIÓS, AMIGO.
ESCRIBÍ, CARLITOS. NO TE PIERDAS.
¡ARRIVEDERCI, CARLITOS QUERIDO!
JOSESITO ODIABA A CARLITOS.

ALEJANDRO ESCAFANDRO
EL DOCTOR ME DIJO QUE NO ME PREOCUPE... QUE ES UN PROBLEMA BASTANTE COMÚN.
ME DIJO QUE ROBERTITO ES UN POCO...
DISLÉXICO.

EN EL RECREO...
¿SABÉS CÓMO SE HACEN LOS BEBITOS?
NO.

LAS AVENTURAS DE STORMTROOPER
HOLA STORMTROOPER.
HOLA.

¿VISTE EL PARTIDO AYER?
SÍ, GOLAZO DE MESSI.

¡CUIDADO! ¡¡UN REBELDE!!
?

¡CHIU!

¡NOOOOOOOOOOO! ¡STORMTROOPER!
FIN

ME PONE
UN POCO
NERVIOSA
LO INDECISO
QUE ES
ESTE JUEGO
¿QUÉ QUERÉS
QUE TE DIGA?

¡JAQUE MAT...
¡OH NO! ¡ACORDATE DONDE ESTABAN LAS PIEZAS! ¡¡ACORDATE!!

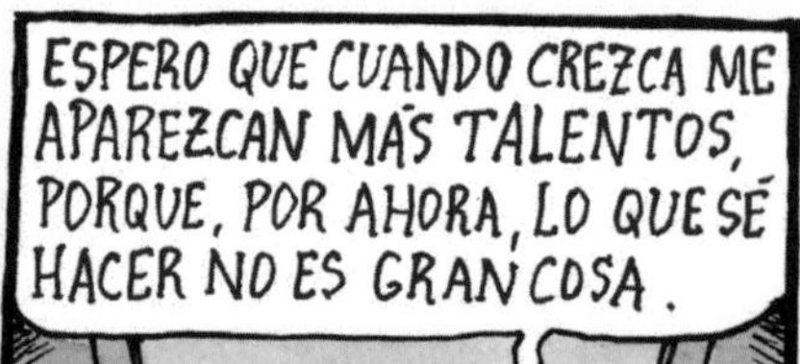
ESPERO QUE CUANDO CREZCA ME APAREZCAN MÁS TALENTOS, PORQUE, POR AHORA, LO QUE SÉ HACER NO ES GRAN COSA.

ABSTRACCIÓN MISTERIOSA.

PAN CHUECO
¿CUÁNTOS AÑOS TENÉS?

¡LO QUE GASTARÁS EN VELITAS!

¡PUF!
PERO NO SABÉS TODOS LOS DESEOS QUE YA PEDÍ.

COSAS QUE, A LO MEJOR, LE PASARON A PICÁSSO.
¿Y CÓMO DICE QUE LO LLAMA?
CRÍTICO
CUBISMO

YO VEO ALGUNOS TRIÁNGULOS... ¿POR QUÉ NO 'TRIANGULISMO?

PIÑ

¿HOY ME TOCABA A MÍ?
EH...

ALEJANDRO ESCAFANDRO
EH... PENSÁNDOLO BIEN... NO... NO QUIERO JUGAR A "PINOCHO".

VIDA Y OBRA DE Esteban Colberto
EN EL CAPÍTULO SIETE, SU COLECCIÓN DE SOPLETES.
EN EL CAPÍTULO DIEZ, LA OBSESIÓN POR EL AJEDREZ.
EN EL CAPÍTULO QUINCE, UN VIOLENTO ESGUINCE.
EL CAPÍTULO DIECINUEVE ES EXTREMADAMENTE BREVE.
ACHIS
TODO ESTO Y MÁS EN EL BESTSELLER DEL MOMENTO.
VIDA Y OBRA ESTEBAN COLBE
POR ANÓNIMO

ZOOM IN.
ZOOM OUT.
HOLA.

AGARRATE FUERTE, MADARIAGA.

UNO.
DOS.

¡TRES!

MENOS MAL QUE NO TENÉS HUESOS.

MARAT PENSÓ...
BUENO... ME VOY A TOMAR UN BAÑO CALENTITO...
LINCOLN PENSÓ...
ESPERO QUE SEA BUENA LA OBRA.
EL ARCHIDUQUE FRANZ FERDINAND PENSÓ...
QUÉ PASEO RELAJANTE

LA HISTORIA TE DA SORPRESAS, SORPRESAS TE DA LA HISTORIA...
OH GOD!
SIC SEMPER TYRANNIS

¡ESTÁS LOCO!
OLGA
SI TE PELEÁS CON TU AMIGO IMAGINARIO...
¿CÓMO SABER SI TE PELEASTE DE VERDAD?

ALEJANDRO ESCAFANDRO
¡MAMÁ!
NUESTRO SISTEMA ES MÁS DIVERTIDO.

¿ADÓNDE VA?
¿Y QUÉ VA A HACER UNA VEZ QUE LLEGUE A DONDE SEA QUE ESTÉ YENDO?
¿CON QUÉ FIN SE DIRIGE A ESE DESTINO?
EL MISTE-RIOSO
HOMBRE DE NEG...
¡NOS VIO! ¡CORRAN! ¡¡CORRAN!!

EXPLICACIONES PARA VIVIR
HOY: "CÓMO EXTRAÑAR."
SUSPIR...

HOY-
CAPITÁN
Pingüino
¿ADÓNDE VOY CON MI...
BOTECITO?

¿ADÓNDE VOY?
NO SÉ.
PERO VOY DESPACITO.

HOY-
CAPITÁN
Pingüino
HACE VARIOS DÍAS QUE FLOTO A LA DERIVA.

EN MI BOTECITO DE MADERA MARRÓN.
NO TENGO REMOS, NO TENGO TIMÓN.

SOLO TIEMPO Y MI IMAGINACIÓN ACTIVA.
BUENAS.

HOY-
CAPITÁN
Pingüino
EL MAR TRAICIONERO Y EMBRAVECIDO

COMO UNA...
...TREMENDA ORQUESTA.

CON OLAS GIGANTES HA ARREMETIDO.
VEREMOS QUÉ PASA CON ESTA.

COSAS QUE, A LO MEJOR, LE PASARON A PICASSO.

¡OSTRAS!

Conceptual Incomprensible
#121

¿VINISTE A INSPIRARTE, POETA?
¿AL BOSQUE?
UN POCO OBVIO, ¿NO?

DE REPENTE, LA LUZ IMPACTÓ EL ROSTRO DE GÓMEZ DE TAL MANERA...
QUE, POR UNOS SEGUNDOS NOMÁS, SU APARIENCIA FUE, ABSOLUTAMENTE...
BRADPITTESCA.
POR DESGRACIA, EN ESE BREVE INSTANTE, NINGUNA MUJER MIRABA EN SU DIRECCIÓN.
UNA LÁSTIMA.
HO... HOLA SEÑORITA ABERCROMBIE
HOLA GÓMEZ...

Las verdaderas aventuras de Liniers
VIENDO "EL SECRETO DE SUS OJOS"
QUÉ GRAN ACTOR ES RICARDO DARÍN.
OÍME, PELOTUDO...
QUÉ GRAN PUTEADOR ES RICARDO DARÍN.

COMO SOS IMAGINARIO NO PESÁS...

PERO A VECES SOS UN PESADO...
OLGA

HOY:
EL LICENCIADO
Barbosa
VIENTO DEL ESTE.
VIENTO DEL OESTE.
VIENTO DEL SUBTE.

SÍ... PERO YO PUEDO VER TELEVISIÓN.

QUÉ 'WHISKY' NI QUÉ OCHO CUARTOS...
'BLOERGLECH' ES MUCHO MEJOR.
¡BLOERGLECH!

Y... ¿QUÉ HACÉS CUANDO NO TENÉS TIEMPO PARA DIBUJAR TU TIRA?

MIENTRAS TANTO, EN LA ANTÁRTIDA.

BSSOLGA BSSSOLGA
¿QUE QUERÉS QUE TE IMAGINE QUÉ?
BSSOLGABSSBSSSBSSS BSSOLGA BSS BSSOLGA BSS OLGA BSSS.
OLGA
GALGO

¿CUÁNTO TIEMPO MÁS VA A HABER,
PANCHUECO?

EL SUFICIENTE
NO MOLESTE.

¿ESTÁS CONTENTO EN TU PLANETITA?
SÍ
ME ALEGRO.
LA ROTACIÓN ME MAREA UN POCO.
MENOS MAL QUE LA LEY DE GRAVEDAD APLICA EN TU PLANETITA.
MENOS MAL.
¡UY!... AHÍ VIENE OTRO EN SU PLANETITA.
¡ES UNA CHICA!
POR FAVOR POR FAVOR POR FAVOR
¿QUÉ QUERÉS?
QUE CHOQUEN LOS PLANETAS.
ME GUSTA ESTAR EN TU ÓRBITA.

¿QUERÉS VENIRTE A MI PLANETITA?
LO QUE PASA ES QUE NO SÉ SI ESTOY LISTA PARA ALGO TAN SERIO... ¿SABÉS?
OJO...
NO SOS VOS, SOY YO.

¿NO FUNCIONÓ CON LA CHICA?
NO
VEO QUE, POR LO MENOS, LO ESTÁS TOMANDO BASTANTE BIEN.
DISCULPE... ¿UN AGUJERO NEGRO POR ACÁ CERCA?
Y BUEH...
QUÉ LE VOY A HACER.
SERÁ MI DESTINO ANDAR POR ESTE UNIVERSO ENORME
EN SOLEDAD
...
¡EY! ¡ESTO SE ESTÁ MOVIENDO!

ESTE TIPO ES...
BASTANTE
BASTANTE
MISTERIOSO.
A VER...
¡ULTRA MISTERIOSO!

Conceptual Incomprensible
#102
EL BOLO DANZARÍN Y SU FOBIA AL ASERRÍN.

¡CON FUERZA!
HM... ES POSIBLE QUE LE FALTE ALGO DE MASA A MI IMAGINACIÓN.
OLGA

NOS VOLVEMOS A VER LAS CARAS...
ZORGFLEX
?
¿ENRIQUETA, VISTE MI SECADOR DE PELO?
¡¡MUERE!!
KSHHHHHHHHHSHSH

LOS ALTOS
MIRÁ LO QUE ECONTRÉ ALLÁ ABAJO.

CUANDO ESCRIBA MI AUTOBIOGRAFÍA, ESTA VA A SER UNA BUENA PÁGINA.

COSAS QUE, A LO MEJOR, PASABAN CUANDO TENÍAS CINCO AÑOS.

VIENTO LEVE EN DIRECCIÓN AL MISTERIO.

MADRE DICE QUE TENGO QUE APRENDER A VIVIR CON LOS PIES EN LA TIERRA.

PERO ME PARECE QUE SI LE HAGO CASO ME VOY A ABURRIR BASTANTE.
NO SÉ...

NO ESTÁ AHÍ... NO ESTÁ AHÍ... NO ESTÁ AHÍ...

SÍ ESTOY.

¡PRETZEL!
¡PRETZEL!
¡PRETZEL!
¡PALMERITA!
¡PRETZEL!
PRET... ¡EY!

TKL TKL TKL TKL TKL TKL
LISTO, MADARIAGA, YA TENÉS E-MAIL
MADARIAGASUPERSTAR@GMAIL.COM
PENSÉ QUE IBAS A ESTAR MÁS ENTUSIASMADO.

Marcel Duchamp SE inspira...
¡EUREKA!

DESDE ARRIBA PARECE BASTANTE MÁS ALTO

¿SERÁ SUFICIENTE?
ESPERO QUE SEA SUFICIENTE.
SÍ, CREO QUE VA A SER SUFICIENTE.

BOCETOLANDIA
LO ÚNICO QUE NO PUEDE HACER UN ARTISTA ES ABURRIR *
*NINE DUIT
ABURRIDO
NOOOO

¿Y EMPEZÓ COMO UN GRANITO?

AHÍ ESTÁ, TRISTE, UN PAJARITO.

SIN GANAS DE CANTAR.

PERO, HACE FUERZA, Y CANTA IGUAL...
A MERCEDES SOSA - L.

EH...
¡¿QUÉ?! ¡¿QUÉ ME VAS A DECIR?!! ¡EH! ¿¡QUÉ!? ¿EH? ¡EH!
N... NO... NADA.

FRANZ KAFKA SE INSPIRA...

NECESITAMOS EL FORMULARIO C-15 CERTIFICADO POR ESCRIBANO PÚBLICO
DESPUÉS TIENE QUE IR A SELLAR EL DUPLICADO A LA OFICINA 809.

PERO NO SIN ARCHIVAR EN EL MINISTERIO DE RELACIO...

SCHLOSS

¡EY, PANCHUECO!

ME OLVIDÉ QUÉ TE IBA A PREGUNTAR.

YO ME ACUERDO... LA RESPUESTA ES: 27
?

EDGAR ALLAN POE SE INSPIRA...

ES ABURRIDO BAÑARSE.
¿QUÉ PODEMOS HACER PARA QUE SEA UN POCO MÁS INTERESANTE?

¿¡ADÓNDE VAS, ENRIQUETA!?

JULIO CORTÁZAR SE INSPIRA...
HOY ME VOY A PONER EL PULÓVER AZUL.
NO SE CULPE A NADIE... SALVO A ESTE PULÓVER DE MI

TE FUISTE POR LAS RAMAS, FELLINI.
PUEDE SER, PUEDE SER.

MÁS AVENTURAS DE STORMTROOPER
Y... ESTAMOS TENIENDO PROBLEMAS, VISTE

SON MUCHOS AÑOS DE CONVIVENCIA Y, CLARO, LA RELACIÓN SE RESIENTE

YO NECESITO MI ESPACIO ¿SABÉS? Y SIENTO QUE ELLA...

¡ESCORIA IMPERIAL!

AAAAH
FIN

OHH... QUÉ LINDO.
DALE UN CARAMELO.
TOMÁ, BICHITO. UN CARAMELO DE FRUTI...
AAH... MIS DEDOS. ¡¡AAAAAAHH!!

OLGA
AHORA NO... TENGO QUE ESTUDIAR.
TE DIJE QUE ME PONE NERVIOSO CUANDO HACÉS ESO.
OLGA

NO TE MUEVAS.

VOS SOS LA ÚNICA QUE CONOCE TODOS LOS LUGARES EN LOS QUE ESTUVE.
AHORA VAYAMOS A LOS QUE VAS A ESTAR...

LLUEVE.
LLUEVE
LLUEVE
LLUEVE.
LLUEVE.
NO LLUEVE.
C'EST TOUT?

Conceptual Incomprensible
#123
UNA VEZ MÁS, LA PENDIENTE.
LOS ESCALONES ASCENDENTES.
EL PISO,
LOS DIENTES

HOY
EL LICENCIADO
Barbosa
HOY ME SIENTO INVENCIBLE.
?

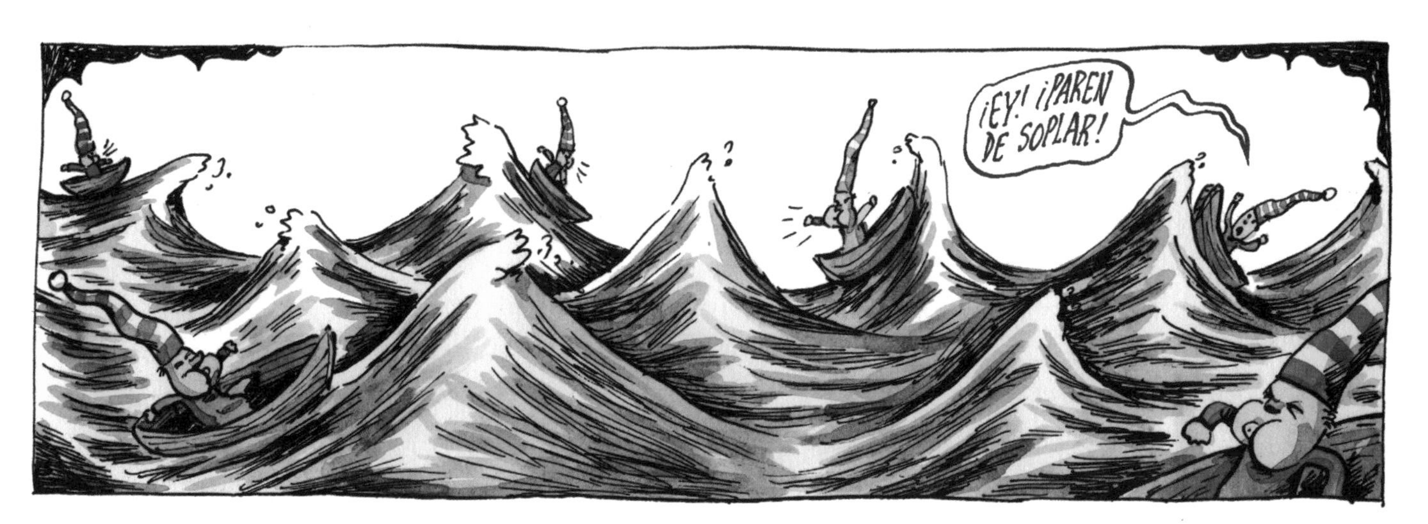
¡EY! ¡PAREN DE SOPLAR!

EY... TENÉS QUE HACER ALGO GRACIOSO.
¿POR?
PORQUE ESTÁS EN UN CHISTE.
AH.
BLAA
NO... DEJÁ... ES PÉSIMO.

¿VOLVISTE?
SÍ... VOLVÍ
¿Y VAS A HACER ALGO GRACIOSO?
SÍ.
GRACIOSO EN SERIO. NO LA PAVADA DE AYER.
SÍ
BUENO... A VER...
BLAA

BLAA
¡BASTA!
¡ES UNA ESTUPIDEZ! ¡¿QUÉ SIGNIFICA!? 'BLAA' 'BLAA' ¡¿QUÉ ES ESO?!! ¡¡EH!!
¡UY!... EL SEÑOR QUE DICE 'BLAA' EN EL DIARIO ¡¿ME DA SU AUTÓGRAFO!?
BLAA

UNA SOMBRA.
CAMINA.
ESTÁ PERDIDA.
BUSCA.
BUSCA.
PERO NO ENCUENTRA.
Y SE ESTÁ HACIENDO DE NOCHE.
HOY ME SENTÍ RARO TODO EL DÍA.

NO ES LLUVIA... ES UNA DE ESAS COSAS...

OLGA
¡LAS COSAS QUE DECÍS!

A VECES NO SÉ CÓMO IMAGINÁS COSAS QUE YO NUNCA PODRÍA IMAGINAR SIENDO QUE YO SOY EL QUE TE ESTÁ IMAGINANDO A VOS.
OLGA
¿VES LO QUE TE DIGO?

OLGAAA
OLGAA
OLGAAA
OLGAA
OLGA

ASÍ QUE ESTUVISTE VISITANDO A TU FAMILIA.
OLGA

PREPARADOS...
LISTOS...
¡YA!
DE NUEVO ÚLTIMO, MADARIAGA.

UN DÍA, EN EL DESIERTO.

PRIPIPIPP

¡NO! ¡NO ME INTERESA SABER DE SU PROMOCIÓN PARA LLAMADAS DE LARGA DISTANCIA!

LOS ALTOS
LEJOS NO ES UN PROBLEMA PARA NOSOTROS.

Las verdaderas aventuras de Liniers
JA JA
JA JA JA
ES DIFÍCIL TRABAJAR MIRANDO EL PROGRAMA DE CAPUSOTTO EN YOU TUBE.

ELIJA UNA INSPIRACIÓN, POETA... SE HACE TARDE.

Edvard Munch se inspira...

Conceptual Incomprensible #127
A ESPERAR DESPIERTO UN FUTURO INCIERTO.
DESPUÉS...
CAMINAR AL DESIERTO Y VISITAR A ROBERTO.

¿ES VERDAD QUE LEER ESTIMULA LA IMAGINACIÓN?

SÍ, PUEDE SER...

EL MOMENTO TERRIBLE...
LOS PRESENTO: OSVALDO.
Y ÉL ES...
EH...
EN EL QUE NO TE ACORDÁS DEL NOMBRE DEL OTRO QUE ESTÁS PRESENTANDO.

NOS VOLVEMOS A VER LAS CARAS, HAMACA.

EH... MADARIAGA... CREO QUE NOS HAMACAMOS UN POCO DEMASIADO BASTANTE FUERTE ESTA VEZ.

ESTUVE PENSANDO SOBRE EL TIEMPO, MADA-RIAGA.

Y COMO PASA
Y COMO NO PODEMOS HACER NADA PARA DETENERLO

VOLAR ME PONE FILOSÓFICA.

¿DÓNDE VAMOS A CAER?
HACE UN RATO LARGO QUE SALTAMOS DE LA HAMACA.

ESTOY SEGURA DE QUE ESTAMOS POR ESTABLECER UN RÉCORD NUEVO.

A LO MEJOR, ESTOCOLMO.
SERÍA LINDO CAER EN ESTOCOLMO.

QUÉ

BUENO

SIEMPRE QUISE

VIAJAR POR EL MUNDO

TRAJISTE TU PASAPORTE, MADARIAGA

¡ESTOCOLMO, AHÍ VAMOS!

EL MOMENTO TERRIBLE...
EN EL QUE TE DAS CUENTA DE QUE TE OLVIDASTE DE PONERTE DESODORANTE

NO SON FÁCILES DE ENCONTRAR
LOS PINGÜINOS ALBINOS DE LA ANTÁRTIDA.

EN UN DIBUJO PUSE TODO LO QUE SIENTO POR USTED.
AH

¿Y SI LO PENSAMOS UN POCO...

MEJOR?

...
AA
AH
AHH
AAAAH
CHUSS
SALÚ
GRAZIE

PERO... ENTONCES... SI VOS NO SOS MI VERDADERO PADRE...
¿QUIÉN...?

GIMÉNEZ, EL MEJILLÓN MÁS AFORTUNADO DEL MUNDO.
QUÉ ABURRIMIENTO.
?
DESPUÉS.
AAAAH
Y AL FINAL.
¿POR QUÉ? ¿POR QUÉ?

¿NO PREFERÍS ESTAR AFUERA?
ESTOY EN LA ESTEPA SIBERIANA CON MIGUEL STROGOFF.

Z-25, EL ROBOT SENSIBLE.
BUENOS DÍAS, SEÑORIT...
?

PAN CHUECO

¿ADÓNDE VAS?

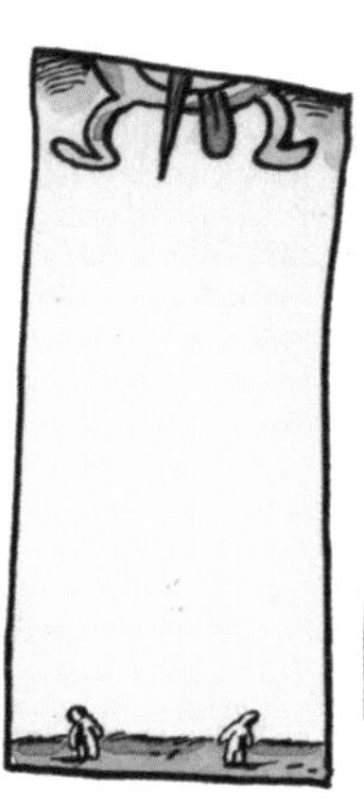

¿NO VA A VOLVER?

MIENTRAS TANTO... EN ALGÚN LUGAR DEL UNIVERSO...

¿ADÓNDE
VAS
ALFIO?
¡A TROGLODOMBIA!
YEAH

AUTO

IÓN
AVIÓN.
NUNA

NINI PU
¿WINNIE POOH?

¡AUTO!
CON EL TIEMPO VAN A MEJORAR ESTAS CHARLAS ¿NO?
AUTO

Conceptual Incomprensible
#139
TREPARON AL PANTALÓN CON ALGO DE ATRASO...
Y SE FUERON CAMINANDO SIN DAR UN PASO.

EL SISTEMA DE REJUVENECIMIENTO CAPILAR...
QUE REVOLUCIONA AL MUNDO.
FROT
FROT
ESTIMULACIÓN BIGOTERIL®
FROT FROT
FROT
Y...
FROT FROT FROT FROT FROT
FELICIDAD PILOSA EN TU CABEZA HERMOSA

TENEMOS TANTA VACACIÓN POR DELANTE QUE NO SÉ CÓMO EMPEZAR.
QUÉ VÉRTIGO.

¡¡ALGUIEN ME EXPLICA DÓNDE #@☠$ ESTÁ EL CONTROL REMOTO!!

PLOP
¡PESCASTE EL REMATE DE ESTE CHISTE!

OLGA
NO... NI IDEA QUÉ ESTÁN DANDO AHORA EN LA TELE

Macanudos Apócrifos

HOY DIBUJA: JORGE GONZÁLEZ

CLEMENTINA

HOY DIBUJA: FABIO ZIMBRES.

FELIZ
DEZ.2009
HOLA.

YO PENSABA TENER UN RELACIONAMIENTO ESPECIAL CON EL MUNDO VEGETAL...

HOY DIBUJA: EMILY FLAKE.

HOY: Cosas que le pasaron a Picasso... EN EL MUNDO BIZARRO!
INVENTÓ EL ESFERISMO
SOY GENIO

PRODUJO LAS OBRAS DEL PERÍODO NARANJA ELÉCTRICO

TENÍA UNA ESPOSITA FEA A QUIEN AMÓ CON TODO SU CORAZÓN
MI VIDA, MI AMOR.

Y NUNCA PUDO RECORDAR SU PROPIO NOMBRE COMPLETO
PABLO DIEGO JOSÉ FRANCISCO DE PAULA JUAN NEPOMUCENO DE LOS REMEDIOS CIP- NO, DE- NO-

HOY DIBUJA: ELOAR GUAZZELLI.

45°

47°

50°

VACACIONES
LINIERS
25°

HOY DIBUJA: ALBERTO MONTT.

CRÉAME QUE LA ENTIENDO. DESPUÉS DE TANTOS AÑOS, ESTARÁ ENCARIÑADA CON EL ANIMALITO, PERO LE PROMETO QUE -¿SCORSESE ME DIJO QUE SE LLAMABA?- NO SENTIRÁ NADA.
CON LA TOXOPLASMOSIS NO SE JUEGA.

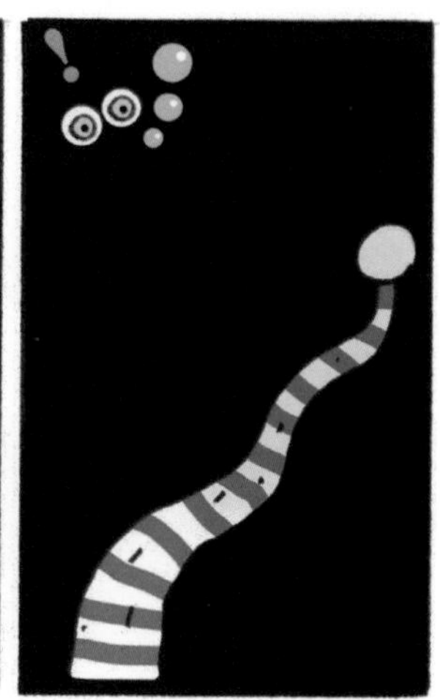

HOY DIBUJA: PATRIK GRAHAM

HOY DIBUJA: DELIUS.

OLIVERIO
La aceituna en
LIPOASPIRACIÓN
D

HOY: PABLO S. SAPIA.

RO-BERTU 3000 (El Robot) PORTA ARMAS Y TIENE MAL GENIO.
Z~25 ES QUERIBLE, CARIÑOSO Y SENSIBLE

HOY DIBUJA: EL BRUNO

"ROMANCING THE STONE"
"TRAS LA ACEITUNA PERDIDA"
"ALIVE"
BUAAAAA..
"FREE WILLY"
OLGA

EL SEÑOR QUE TRADUCE LOS NOMBRES DE LAS PELÍCULAS SE TOMA VACACIONES...

HOY DIBUJA: DECUR

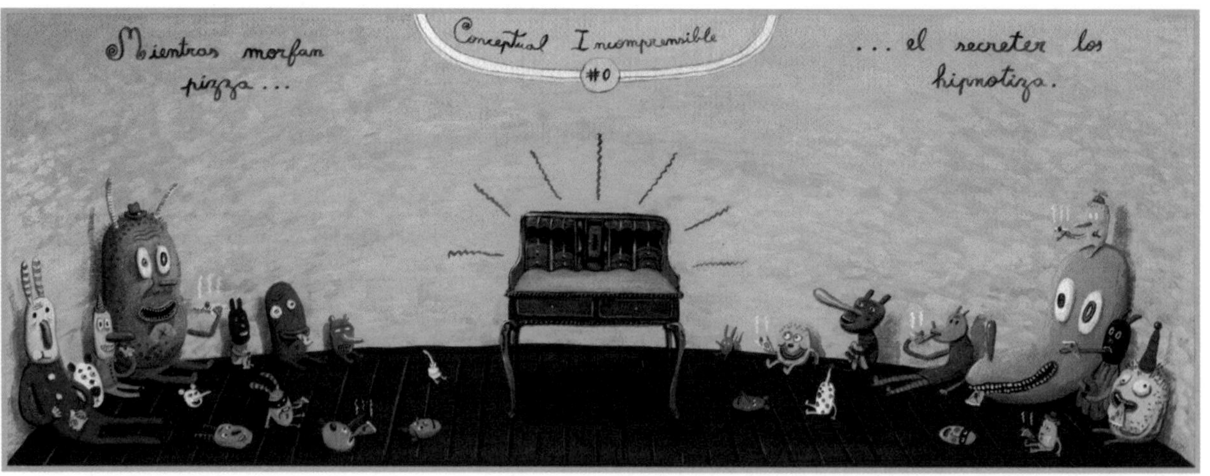
Conceptual Incomprensible
#0
Mientras morfan pizza...
...el secreter los hipnotiza.

HOY: LUIS PESCETTI Y PABLO FERNÁNDEZ

¡¡ AHÍ VIENEN !!
QUÉ NERVIOS

¡NATACHA!
¡ENRIQUETA!
...UPS
(NATACHA, DE LUIS PESCETTI)

¡¡ AMIGAS !!

... NO NOS DIGAN SIEMPRE NO, QUEREMOS JUGAR A LO QUE NOS GUSTA...
PABLO/LINIERS/PESCETTI

HOY DIBUJA "MACANUDO" ADAO ITURRUSGARAI

EN LA TEMPORADA PASADA EL COLOR DE MODA FUE EL ROJO!

EN ESTA, EL AZUL!

EN LA PRÓXIMA TEMPORADA EL COLOR SERÁ EL VERDE!

USTED SABE PORQUÉ EL MISTERIOSO HOMBRE DE NEGRO SE VISTE DE NEGRO?

PORQUE EL NEGRO NUNCA PASA DE MODA!

HOY DIBUJA "MACANUDO" CALVI.

Dicen que estuvo en Londres, aquel otoño de 1888.

Que tuvo tres esposas, pero sólo amó a una.

Y que a su paso crece la mandrágora.

Se dice eso y más.
¡Pero la verdad permanece en el misterio!

HOY DIBUJA "MACANUDO" ED CAROSIA.

COSAS QUE Quizás le PASARON A Liniers
¡SOBERBIO!

¡FABULOSO!
¡ESTUPENDO!

ALGO!
¡CHANANTE!

¡MACANUDO!
¡ESO!

HOY DIBUJA "MACANUDO" LOITT

HOY ~ COSAS QUE, A LO MEJOR, LE HUBIESEN PASADO A PICASSO, SI SIGUIERA VIVO.
EL CUBISMO ESTUVO MUY BIEN PERO FUE UNA ÉPOCA, AHORA HAY QUE EVOLUCIONAR
PICA$$O

Gracias a los Macanudistas Apócrifos:
Jorge González, Fabio Zimbres, Emily Flake, Eloar Guazzelli, Alberto Montt, Powerpaola,
Pablo Zweig, Patrik Graham, Delius, Pablo S. Sapia, El Bruno, Decur, Luis María Pescetti,
Pablo Fernández, Adao Iturrusgarai, Fernando Calvi, Ed Carosia y Loitt.
Me da un orgullo inmenso ver mis personajes dibujados por ustedes.

www.porliniers.com

Impreso en diciembre de 2010 en Galt Printing S. A.
Ayolas 494, C1159AAB,
Ciudad Autónoma de Buenos Aires, Argentina